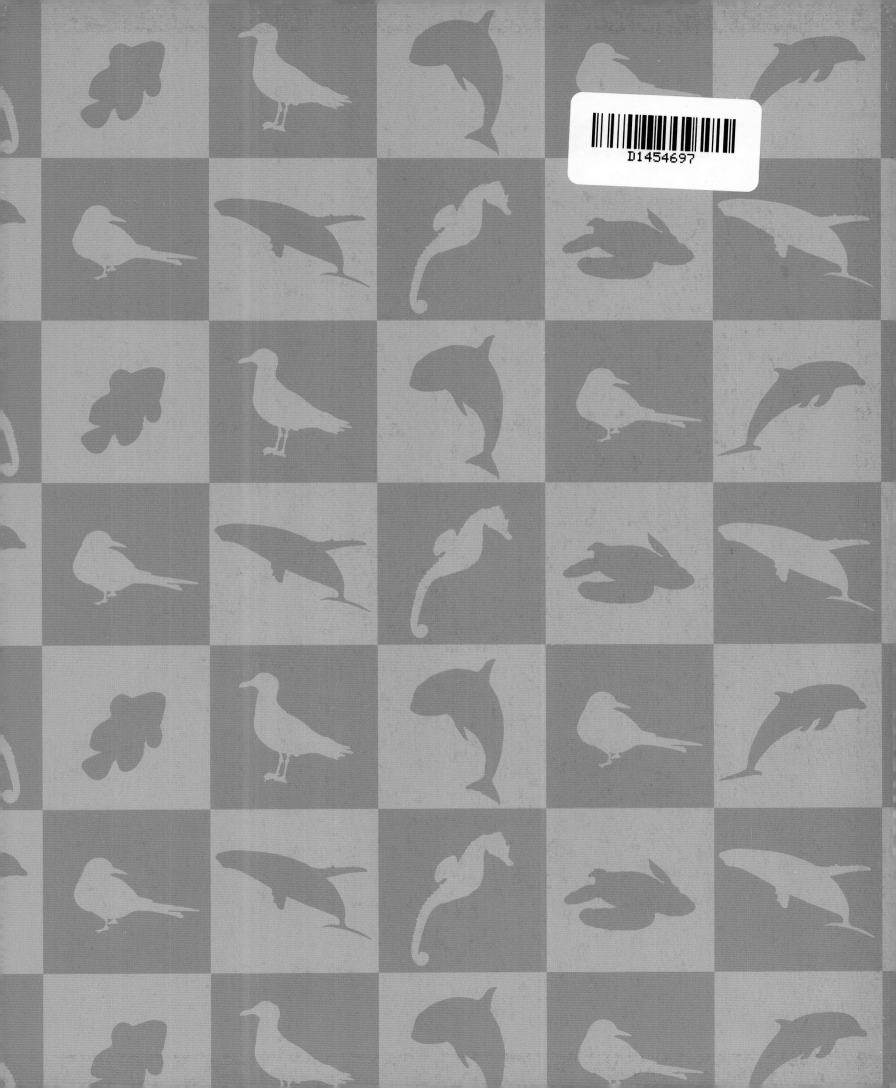

**BEESTEN
bladerboek**

Zo worden kleine dieren groot in de
zee

Anne Royer

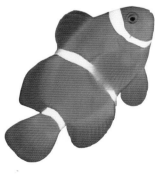

DELTAS

Deze vertaling kwam tot stand met de medewerking van
Sigrid Maebe van het Koninklijk Belgisch Instituut voor
Natuurwetenschappen (KBIN) te Brussel.

Originele titel: *Les Petits d'Animaux de la Mer* (Anne Royer)
© Mango Jeunesse, MMVII.
All rights reserved.
© Zuidnederlandse Uitgeverij N.V., Aartselaar, België, MMVIII.
Alle rechten voorbehouden.
Deze uitgave door: Deltas, België-Nederland.
Nederlandse vertaling: Bert Verpoest.
Gedrukt in België.

D-MMVIII-0001-195
NUR 223

Inhoud

De zee — 8

De kleine dolfijn — 10

De kleine lederschildpad — 14

De kleine zeeleeuw — 18

Het kleine zeepaardje — 22

De kleine zeemeeuw — 26

De kleine orka — 30

De kleine octopus — 34

De kleine zeeotter — 38

De kleine witte haai — 42

De kleine clownvis — 46

De andere vissen in de zee — 50

De kleine zeekrokodil — 54

De kleine krab — 58

De kleine noordse stern — 62

De kleine walvis — 66

De grote quiz over de kleintjes van de zee — 70

Antwoorden — 74

Kleine woordenlijst — 75

De zee

Water zover het oog reikt, duistere spelonken, koraalriffen, ijsschotsen en kusten met zand of rotsen: het zijn maar enkele van de vele gezichten van de zeeën en de oceanen die de aarde haar bijnaam 'de blauwe planeet' hebben opgeleverd. In deze uitgestrekte gebieden leven duizenden vissen. Maar dat zijn niet de enige bewoners. In de zeeën en de oceanen vinden we ook verschillende zoogdieren, reptielen, weekdieren, schaaldieren en vogels. Elk van deze dieren leeft op de plaats waar het het best gedijt. Zo leeft de krab voornamelijk aan de kusten, terwijl de witte haai houdt van de volle zee. Sommige dieren, zoals de lederschildpad en de noordse stern, trekken rond en leggen grote afstanden af tussen de plaatsen waar ze voedsel zoeken en de plaatsen waar ze zich voortplanten. Van het piepkleine zeepaardje tot de enorme walvis, alle dieren die in de zeeën en de oceanen wonen, zijn onmisbaar voor het evenwicht van deze fascinerende wereld.

Hoewel koraalriffen maar een heel klein deel van de zeeën en de oceanen op de aardbol innemen, zijn ze de biotoop (= leefomgeving) van meer dan vijfduizend soorten vissen.

De kleine dolfijn

D e groep waarin het jonge dolfijntje en zijn moeder leven, is heel groot; soms wel meer dan een paar honderd dolfijnen. Moeder dolfijn heeft al verschillende geboortes doorstaan en andere wijfjes geholpen die net een jong ter wereld hebben gebracht. Het mannetje is geen trouwe partner. Tijdens het paarseizoen heeft hij met meerdere wijfjes gepaard. Hij is dus ook de vader van veel andere jonge dolfijntjes, maar kijkt niet naar hen om. De kleine dolfijn en zijn moeder zijn echter onafscheidelijk en blijven heel lang samen, meestal meer dan vijf jaar!

Het pasgeboren dolfijntje heeft twaalf maanden doorgebracht in de buik van zijn moeder. Dolfijnen krijgen maar om de twee of drie jaar een jong.

Wie ben ik?

De gewone dolfijn

MIJN WETENSCHAPPELIJKE NAAM IS:
Delphinus delphis.

IK BEHOOR TOT DE KLASSE VAN:
de zoogdieren, ik behoor tot de orde van de walvisachtigen en ben een viseter.

MIJN GROOTTE:
Ik ben ongeveer 2 m lang.

MIJN GEWICHT:
Ik kan 75 tot 130 kg wegen.

MIJN BIJZONDERE KENMERKEN:
Ik ben een uitstekende zwemmer en kan, als ik volwassen ben, snelheden tot 50 km/u halen! Om met de andere dolfijnen te praten, maak ik een soort klikgeluiden.

Wat moet een dolfijntje na de geboorte direct doen?

Antwoord 1: Zijn moeder strelen.

Antwoord 2: Naar de oppervlakte gaan om te ademen.

Antwoord 3: Melk drinken.

Een pasgeboren dolfijntje moet direct naar de oppervlakte gaan om te ademen.

Ik ben een zoogdier! Snel, lucht!

De kleine dolfijn doet er ongeveer vier uur over om uit de buik van zijn moeder te komen. Maar soms duurt het wel drie keer zo lang! Om ervoor te zorgen dat haar jong minder afstand moet afleggen om voor de eerste keer te ademen, brengt de moeder het ter wereld in ondiep water. Aangezien zijn longen leeg zijn bij de geboorte, zinkt het kleintje onmiddellijk. Gelukkig schieten zijn moeder en een ander wijfje van de groep te hulp om het te ondersteunen en naar de oppervlakte te brengen. Daar gaat zijn spuitgat, een klein gaatje boven op zijn kop, vanzelf open en kan het jong zijn eerste teug lucht inademen.

Op het moment van de geboorte zijn de vinnen van het dolfijntje nog zacht, zodat de geboorte gemakkelijker verloopt en de moeder niet gewond raakt.

Gedurende een jaar, en soms nog langer, wordt het jong door zijn moeder gezoogd. Als het jonge dolfijntje vijf maanden is, begint het echter ook al vis te eten.

Dolfijntjes zijn geliefde prooien van haaien en orka's. Wanneer ze worden aangevallen, plaatsen de volwassen dolfijnen zich in een cirkel rondom de jongen om hen te beschermen.

Melk

Nu het jong voor de eerste keer geademd heeft, is het tijd voor de eerste maaltijd. Niet gemakkelijk in het begin! Aangezien het kleintje de tepels van zijn moeder niet in zijn bek kan nemen, moet zij de melk rechtstreeks in zijn keelgat laten stromen. Pas na enkele dagen kan het dolfijntje zelf drinken. Het is heel belangrijk dat het voldoende voedsel binnenkrijgt. De melk die het drinkt, is heel voedzaam en daardoor kan het jong heel snel een dikke vetlaag ontwikkelen die hem lekker warm houdt in het vaak erg koude water.

Een strenge opvoeding

Moeder en kind hebben een heel sterke band. Soms duwen wijfjes hun bij de geboorte gestorven jong toch nog wanhopig naar de oppervlakte om het te laten ademen. Moeder dolfijn is tegelijkertijd heel liefdevol en heel waakzaam. Als haar jong te ver van de groep afdwaalt, roept ze het jong onmiddellijk tot de orde! Omdat ze wil dat het jong goed in z'n oren knoopt dat het stout is geweest, straft ze het jong door het bijvoorbeeld tegen de bodem te houden tot het klaaglijke kreetjes slaakt.

De kleine dolfijn heeft zo goed als altijd een peettante die bij zijn geboorte aanwezig was. Ook daarna zorgt ze voor hem, en waakt ze over hem wanneer zijn moeder aan het jagen is.

De kleine lederschildpad

Nog voordat de kleine lederschildpad geboren wordt, heeft hij al heel wat inspanningen moeten leveren om de eierschaal te breken. Nu ligt het jong begraven onder het zand in de put waarin zijn moeder twee maanden geleden haar eieren heeft gelegd. Rondom het jong liggen zijn tientallen broertjes en zusjes te spartelen. Door hun ongecontroleerde bewegingen bereiken ze langzaam de oppervlakte en komen ze voor het eerst in de openlucht. Maar waar is hun moeder toch? Zodra de moeder haar eieren heeft gelegd, trekt ze weer terug de zee in, en komt ze pas na twee of drie jaar terug om opnieuw eieren te leggen.

Bij hun geboorte zijn lederschildpadjes maar 5 tot 7 cm groot. Ze zijn helemaal zwart, met witte lijnen op de kammen van hun schild.

Wat doen de lederschildpadjes direct na hun geboorte?

Antwoord 1: Ze gaan snel naar de zee.

Antwoord 2: Ze rusten een aantal dagen op het strand.

Antwoord 3: Ze verbergen zich een week onder het zand.

Wie ben ik?

De lederschildpad

MIJN WETENSCHAPPELIJKE NAAM IS:
Dermochelys coriacea.

IK BEHOOR TOT DE KLASSE VAN:
de reptielen en ik ben een vleeseter.

MIJN GROOTTE:
Ik ben meer dan 2 m lang.

MIJN GEWICHT:
Ik kan wel 1000 kg wegen.

MIJN BIJZONDERE KENMERKEN:
Mijn schild is niet hard en schubbig zoals bij de meeste schildpadden. Het bestaat uit honderden kleine benen plaatjes, bedekt met een huid die op leer lijkt. Vandaar mijn naam!

Onmiddellijk na hun geboorte gaan de lederschildpadjes snel naar de zee.

Een afwezige maar toegewijde moeder

Wanneer de moederschildpad aan land komt om haar eieren te leggen, kiest zij met zorg het plekje waar ze haar nest zal maken. Hoewel ze wel heel handig en snel in het water is, heeft ze op het land veel moeite om vooruit te komen! Als de moeder een goed plekje gevonden heeft, graaft ze met haar achterste vinnen een put van ongeveer zestig centimeter diep, waarin ze haar eieren legt. Het leggen zelf duurt één tot twee uur. Daarna bedekt ze de eieren zorgvuldig met zand. Het zijn er meestal tachtig tot honderd, en elk ei is ongeveer zo groot als een biljartbal.

De lederschildpadjes komen meestal net voor zonsopgang uit hun put in het zand.

Snel, naar het water!

Als ze eenmaal in de openlucht zijn, gaan de schildpadjes onmiddellijk naar het helderste punt dat ze zien. Gewoonlijk is dat de zee, waarop het daglicht wordt weerkaatst. Dan begint een ware overlevingstocht. De jongen zijn immers een gemakkelijke prooi voor zeemeeuwen, fregatvogels, vissen en zeezoogdieren. Er dreigt echter nog een ander gevaar dat hun dood kan betekenen, namelijk: de mens! Het kan namelijk gebeuren dat hun moeder haar eieren in de omgeving van een stad heeft gelegd, en dan is het mogelijk dat de jongen aangetrokken worden door het licht van die stad en de verkeerde richting uitgaan.

Nadat de lederschildpadmoeder haar eieren heeft gelegd, probeert ze haar nest zo goed mogelijk te verbergen door er met haar vinnen zand over te vegen.

Van de lederschildpadjes die de zee bereiken, komen alleen de wijfjes later weer terug op het land. De mannetjes blijven voor de rest van hun leven in het water.

Weinig overlevenden

Er dreigen heel wat gevaren voor de kleine schildpadjes, zelfs wanneer ze erin slagen de zee te bereiken. Daar wachten immers allerlei roofdieren waar de kleintjes zich niet of nauwelijks tegen kunnen verweren. Als je amper tien centimeter groot bent, kun je immers weinig doen tegen een haai of een enorme octopus. Bovendien kunnen de kleintjes, net zoals de volwassen lederschildpadden trouwens, niet achteruit zwemmen, wat vluchten er niet makkelijker op maakt!

Wetenschappers schatten dat van elke duizend eieren die gelegd worden, slechts een paar schildpadden de volwassen leeftijd bereiken.

De kleine zeeleeuw

Op een verlaten strand is een groep zeeleeuwen samengekomen voor het paarseizoen. Wat een drukte! Wat een lawaai! Elk mannetje verdedigt oorverdovend een terrein van zeker honderd meter lang. Andere mannetjes komen er niet in! Hij houdt ook de wijfjes in de gaten, maar zij mogen komen en gaan wanneer ze willen. Elk wijfje krijgt één jong, dat ze minstens een jaar lang heel trouw zal verzorgen. Ook dat jong zal erg veel lawaai maken en beginnen te roepen zodra zijn moeder te ver van hem vandaan gaat.

Moeder zeeleeuw zorgt vanaf de geboorte heel liefdevol voor haar kleintje.

Wat kan het zeeleeuwtje nog niet wanneer het net geboren is?

Antwoord 1: Drinken bij zijn moeder.
Antwoord 2: Kruipen.
Antwoord 3: Zwemmen.

Wie ben ik?

De galapagoszeeleeuw

MIJN WETENSCHAPPELIJKE NAAM IS:
Zalophus wollebaeki.

IK BEHOOR TOT DE KLASSE VAN: de zoogdieren en ik eet vis.

MIJN GROOTTE:
Ik ben wel 2 m lang als ik een mannetje ben, en ongeveer 1,50 m als ik een vrouwtje ben.

MIJN GEWICHT:
Ik kan wel 250 kg wegen als ik een mannetje ben, maar slechts 80 kg als ik een vrouwtje ben.

MIJN BIJZONDERE KENMERKEN:
Op het land ben ik eerder traag en stuntelig, maar in het water ben ik snel en handig.

Na zijn geboorte kan de kleine zeeleeuw nog niet direct zwemmen.

Een heel kwetsbaar kleintje

De eerste tijd na zijn geboorte is het zeeleeuwtje heel kwetsbaar. Het is nauwelijks te geloven dat dit diertje zo indrukwekkend zal zijn wanneer het volwassen is. Nu kan het met moeite kruipen en al helemaal niet zwemmen! Tijdens de eerste week van zijn leven blijft zijn moeder de hele tijd dicht bij hem. Daarna moet ze af en toe even de zee in om eten te zoeken. Als ze dan weer uit het water komt, vindt ze het heerlijk om samen met haar jong urenlang te luieren op het strand.

Dankzij de voedzame moedermelk wordt de kleine zeeleeuw heel snel groot.

Angst voor het water

Het jonge zeeleeuwtje is nu twee weken oud en heeft genoeg van het luieren op het strand. Het wordt de hoogste tijd dat het leert zwemmen. Zijn eerste zwemles krijgt hij op het droge. Het kleintje leert van zijn moeder hoe het zijn vinnen moet bewegen. Wanneer het jong de eerste keer het water ingaat, is het doodsbang! Gelukkig is zijn moeder er om het liefdevol te steunen wanneer het schreeuwt van de angst.

Bij het zwemmen maken zeeleeuwen een soort schoolslagbewegingen met hun voorste vinnen.

Zwemmen verplicht

Voor het kleine zeeleeuwtje is leren zwemmen een kwestie van leven en dood! Wanneer er gevaar dreigt, vlucht de hele kolonie immers de zee in. Als dat gebeurt wanneer de jongen nog niet goed kunnen zwemmen, verdrinken ze op enkele meters van de kust. Als de zeeleeuw volwassen is, zal hij ook zelf in de zee voedsel moeten gaan zoeken.

Net zoals zijn moeder houdt de kleine zeeleeuw ervan om zich languit in de zon te laten drogen na elke duik in de zee.

Zodra hij enkele weken oud is, kan de kleine zeeleeuw al alleen zwemmen. Binnenkort zal hij, net zoals de volwassen dieren, tot wel 100 m diep kunnen duiken!

Het kleine zeepaardje

Vanaf hun geboorte lijken de kleine zeepaardjes als twee druppels water op hun ouders. Ze zijn wel veel kleiner en doorzichtig. De volwassen dieren kunnen in enkele seconden van kleur veranderen om niet op te vallen in hun omgeving. Ook de kleintjes zijn goed gecamoufleerd omdat ze doorschijnend zijn. De pasgeboren jongen moeten al onmiddellijk zelf hun eten zoeken en zich verdedigen tegen roofdieren. Als ze eenmaal over de eerste angst heen zijn, grijpen ze zich met hun staart vast aan een alg en eten ze hun eerste maaltijd, die bestaat uit minuscule schaaldiertjes of larven die in hun omgeving voorbijkomen.

Bij hun geboorte zijn de kleine zeepaardjes ongeveer 15 mm groot. Na zes weken zijn ze volwassen.

Waar ontwikkelen de eitjes van het zeepaardje zich?

Antwoord 1: In een nest van algen.
Antwoord 2: In de buidel van de vader.
Antwoord 3: In de buik van de moeder.

Wie ben ik?

Het gewone zeepaardje

MIJN WETENSCHAPPELIJKE NAAM IS:
Hippocampus hippocampus. Mijn naam komt van het Grieks en betekent 'gebogen paard'.

IK BEHOOR TOT DE KLASSE VAN:
de vissen en ik eet vooral schaaldieren.

MIJN GROOTTE:
Ik ben ongeveer 10 tot 15 cm groot.

MIJN BIJZONDERE KENMERKEN:
Hoewel ik rechtop zwem, ben ik wel degelijk een vis. Mijn lichaam is niet bedekt met schubben, maar met een huid die gespannen is over kleine benen plaatjes. Ik ben heel traag: ik doe er vijf minuten over om 25 cm vooruit te komen!

De eitjes van het zeepaardje ontwikkelen zich in de buidel van de vader.

Eitjes doorgeven

Op het moment van de voortplanting houden het mannetje en het wijfje een echt onderwaterballet. Ze zwemmen heen en weer, maken een soort buigingen en drukken zich tegen elkaar aan. Aan het einde van deze opvoering, die vaak uren duurt, gaan ze enkele seconden met hun buiken tegen elkaar zwemmen. Tijdens deze heel korte fase worden honderd tot driehonderd eitjes overgebracht van de buik van de moeder naar die van de vader. Daarvoor steekt het wijfje haar legbuis in de buidel van het mannetje. Als de buidel te klein is voor alle eitjes, dan gaat het wijfje op zoek naar een ander mannetje aan wie ze de rest van haar eitjes kan toevertrouwen.

Tijdens hun paringsdans maken de zeepaardjes allerlei figuren. Het gebeurt ook dat ze verschillende keren van kleur veranderen.

Wanneer het wijfje haar eitjes overbrengt naar de buidel van het mannetje, worden deze onmiddellijk bevrucht. Daar zullen ze zich ook verder ontwikkelen tot de kleintjes geboren worden.

Een dikke buik

Wanneer hij leeg is, is de buik van het mannetje helemaal slap. Maar wanneer de eitjes erin zitten, is hij heel hard en uitgerekt. Binnenin zitten de eitjes in een soort blaasjes. Elk jong wordt gevoed met voedingsstoffen die worden aangemaakt door het lichaam van de vader. Wanneer er kleine bultjes verschijnen aan de buitenkant van de buidel, betekent dit dat de kleintjes binnenkort geboren worden.

Soms kun je door de dunne huid van de buidel van het mannetje het silhouet van de babyzeepaardjes zien.

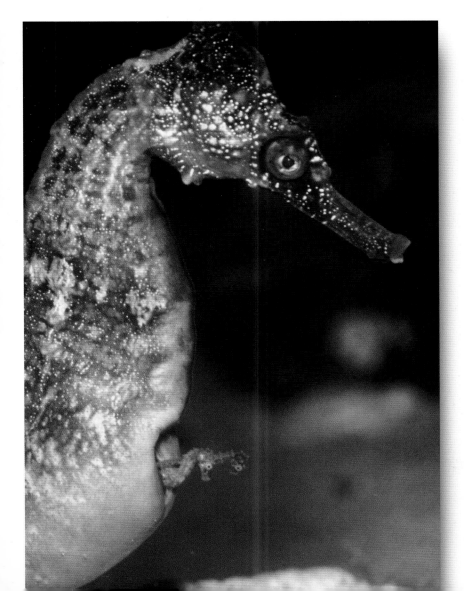

Geboorte

De kleine zeepaardjes blijven twee tot drie weken in de buidel van hun vader. Wanneer het moment is aangebroken om naar buiten te komen, maakt het mannetje krampachtige bewegingen, terwijl hij rechtop blijft zwemmen. Met regelmatige tussenpozen trekt hij zijn buik samen en opent hij zijn buidel. Bij elke beweging worden op die manier meerdere kleine zeepaardjes naar buiten geduwd. Het duurt meerdere uren, en soms zelfs een paar dagen, voor alle kleintjes geboren zijn.

Bij elke geboorte brengt het zeepaardje zeker tien maar vaak ook wel tientallen kleintjes ter wereld, maar niet alle eitjes die door het wijfje in de buidel zijn gelegd, zullen uitgroeien tot kleine zeepaardjes.

De kleine zeemeeuw

Wat een herrie! Wat een lawaai weerklinkt er op het klif waar nu duizenden zilvermeeuwen hun nest hebben gebouwd. Sinds maart zijn de koppels van deze kolonie teruggekeerd naar hun gebruikelijke legplaats. Sommige komen hier al twintig jaar hun eieren leggen! Vier weken geleden heeft dit wijfje drie eieren gelegd. Tijdens de broedperiode zijn de ouders de hele tijd heel waakzaam geweest. Nu kunnen de eieren elk moment uitkomen. Het is zover, de kleintjes zijn geboren! De ouders gooien onmiddellijk de stukjes eierschaal uit het nest. Hun witte binnenkant zou immers de aandacht van roofdieren kunnen trekken.

De jonge zeemeeuwen worden grootgebracht in een nest van gras, takjes, gedroogde algen en zelfs schelpjes.

Wat is het grootste gevaar dat de kleine zeemeeuw loopt?

Antwoord 1: Opgegeten worden door een roofdier.

Antwoord 2: Verhongeren.

Antwoord 3: Uit het nest vallen.

Wie ben ik?

De zilvermeeuw

MIJN WETENSCHAPPELIJKE NAAM IS:
Larus argentatus.

IK BEHOOR TOT DE KLASSE VAN:
de vogels en ik ben een alleseter.

MIJN GROOTTE:
Ik meet 55 tot 67 cm van het puntje van mijn snavel tot het uiteinde van mijn staart en heb een spanwijdte van ongeveer 1,30 m.

MIJN GEWICHT:
Ik kan 750 tot 1250 g wegen.

MIJN BIJZONDERE KENMERKEN:
Ik ben een kustvogel. Mijn lichaam is wit en mijn vleugels zijn zilvergrijs met een zwarte boord. Tussen mijn tenen, die voorzien zijn van klauwen, heb ik zwemvliezen.

Het grootste gevaar dat het zeemeeuwjong loopt, is dat het opgegeten wordt door een roofdier.

De vlekken op de kop van de jongen verschijnen in de eerste levensdagen. Wanneer de jongen hun donskleed verliezen, zijn deze vlekken de laatste veertjes die verdwijnen.

Zoals een identiteitskaart

De ouders van de zeemeeuwtjes hebben geen gemakkelijk leventje. Ze moeten hun roerige kroost de hele tijd in de gaten houden. Zodra de jongen in staat zijn om uit het nest te komen, gaan ze op avontuur. Omdat ze de grenzen van hun territorium nog niet kennen, komen ze snel in gevaarlijke situaties terecht. Hoe kunnen hun ouders hen herkennen tussen al die duizenden andere jongen? Dankzij de vlekken die ze op hun kop hebben. Ze zijn bij elk jong verschillend, en vormen dus een soort identiteitskaart.

De zeemeeuwmoeder gaat nooit ver weg van haar jongen. Als er gevaar dreigt, gaat ze overeind staan om groter te lijken en de indringer te verjagen.

Als de eieren in het begin van het voortplantingsseizoen gestolen worden, zullen de zeemeeuwen nieuwe eieren leggen om ze te vervangen.

Let op voor de buren!

De gevaren die de jonge meeuwen bedreigen, worden niet alleen veroorzaakt door andere diersoorten. Ook de andere meeuwen van dezelfde kolonie kunnen een bedreiging vormen. Deze vogels zijn altijd hongerig en aarzelen niet om de eieren of de jongen van hun buren te stelen en op te eten. Dit is elk jaar opnieuw een van de belangrijkste doodsoorzaken bij meeuwenjongen.

Niet gemakkelijk om eten te zoeken!

Als de jonge zilvermeeuwen de leeftijd van twee maanden hebben bereikt, zijn ze groot genoeg om de kolonie waarin ze geboren zijn te verlaten. Maar ook nu maken de volwassen meeuwen hen het leven moeilijk. Om aan eten te komen, gaan de jonge vogels daarom een vreemd gedrag vertonen. Om hun onderdanigheid te tonen, vliegen ze met een kromme rug, terwijl ze hun kop schudden en felle kreten slaken, en pakken ze alleen maar het eten dat de volwassen meeuwen voor hen overlaten.

Het eten dat de jonge meeuw heeft opgevist, wordt onder zijn neus weggepikt door een oudere meeuw. Deze piratenstreken komen heel vaak voor!

De kleine orka

Na een draagtijd van zeventien maanden brengt moeder orka haar kleintje ter wereld. Het grappige daarbij is dat eerst de staart van het jong naar buiten komt. De navelstreng breekt tijdens de geboorte en de kleine orka kan dan vrij bewegen. Zoals alle pasgeboren zoogdieren moet ook de babyorka snel voor de eerste keer ademhalen. Daarvoor moet hij naar de oppervlakte om zuurstof in te ademen via zijn spuitgat, een klein gaatje boven op zijn kop. Het jong kan al direct na zijn geboorte zwemmen, maar het duurt meerdere uren voor het zonder hulp van een volwassen dier kan ademhalen.

Het pasgeboren orkajong is 2 tot 2,50 m groot en weegt al 200 kg! De plekken op zijn lichaam die later wit zullen worden, zijn nu nog oranjegeel. In de loop van het eerste levensjaar zullen ze hun definitieve kleur krijgen.

Door wie wordt moeder orka geholpen wanneer ze haar kleintje ter wereld brengt?

Antwoord 1: Door de vader.

Antwoord 2: Door een ander wijfje van de groep.

Antwoord 3: Door niemand, ze doet alles zelf.

Wie ben ik?

De orka

MIJN WETENSCHAPPELIJKE NAAM IS:
Orcinus orca. Ik word ook 'zwaardwalvis' genoemd.

IK BEHOOR TOT DE KLASSE VAN:
de zoogdieren, ik behoor tot de orde van de walvisachtigen en ben een vleeseter.

MIJN GROOTTE:
Ik word wel 9 m lang als ik een mannetje ben, en ongeveer 7 m als ik een vrouwtje ben.

MIJN GEWICHT:
Ik kan wel 9 ton wegen als ik een mannetje ben, en ongeveer 4 ton als ik een vrouwtje ben.

MIJN BIJZONDERE KENMERKEN:
Ik ben de grootste van alle dolfijnsoorten. Ik ben een uitstekende zwemmer en kan snelheden tot 45 km/u halen.

Wanneer moeder orka haar kleintje ter wereld brengt, wordt ze geholpen door een ander wijfje van de groep.

Het kleine orkaatje heeft geen lippen. Zijn moeder moet haar melk dus in zijn bekje spuiten door haar melkklier samen te trekken. Gelukkig hoeft ze maar één jong tegelijk groot te brengen!

Leren om moeder te zijn

Vrouwelijke orka's kunnen pas op de leeftijd van vijftien jaar hun eerste jong ter wereld brengen. De zorg voor hun kleintje zit er bij hen niet instinctief ingebakken. Ze leren hoe ze dit moeten aanpakken door andere wijfjes die al moeder zijn, goed te observeren. Die zullen trouwens ook de nieuwe mama helpen, onder meer om het jong naar de oppervlakte te brengen om het voor de eerste keer te laten ademhalen. Orka's leven in groepen die vijf tot meer dan honderd orka's kunnen bevatten. Binnen zo'n groep is de solidariteit heel sterk, en alle orka's helpen elkaar in de verschillende fasen van hun leven.

Jaaglessen

Hoewel het orkajong meer dan een jaar lang wordt gezoogd, leren zijn moeder en de andere wijfjes hem al heel snel verschillende jaagtechnieken. Je vangt immers niet alle prooien op dezelfde manier. Als de jonge orka samen met andere orka's een school vissen omcirkelt, moet hij weten hoe hij kleine kreetjes moet slaken om in contact te blijven met de groep. Als hij echter op een walvis jaagt, mag hij geen geluid maken en moet hij zijn prooi verdrinken door het spuitgat van de walvis dicht te houden met zijn lichaam.

Om op zeeleeuwen te jagen, komen sommige orka's heel dicht bij het strand, maar daardoor lopen ze wel het risico om aan te spoelen.

Orka's, zowel jonge als wat oudere, spelen heel graag. Ze kunnen sprongen boven water maken van wel 13 m ver!

Een groep voor het leven

Net zoals de wijfjes brengen ook de mannetjes meestal hun hele leven door in de groep waarin ze geboren zijn. Als orka's twaalf jaar zijn, verlaten ze de groep voor de eerste keer om zich voort te planten. Ze blijven maar eventjes weg – slechts de tijd die nodig is om een wijfje van een andere groep te verleiden – en komen daarna onmiddellijk terug. Daarom zorgen de mannetjes ook nooit voor hun eigen jongen. Ze ontfermen zich wel vaak over de kleintjes die in hun groep geboren worden.

Hoewel het jong op de leeftijd van één jaar niet meer door de moeder wordt gevoed, blijft het ook daarna nog dicht bij zijn moeder. Dit duurt tot de geboorte van een nieuw broertje of zusje, meestal twee jaar later.

De kleine octopus

Al vanaf zijn geboorte moet het kleine octopusje zelf zien te overleven in de zee. Zijn vader is een eenling die maar heel even bij zijn partner blijft, net lang genoeg om te paren. Zijn moeder heeft echter zoveel zorg aan al haar eitjes besteed dat ze meestal gestorven is van uitputting. Gelukkig is het octopusje erg sterk. Na een jaar is het al 10.000 keer zwaarder dan bij zijn geboorte! Om aan voedsel te komen, beschikt het over heel doeltreffende jaagtechnieken. Het is al snel in staat om een kreeft te doden of om met gemak mosselen en andere schelpen te openen.

De octopus is zeer gehecht aan zijn territorium. Hij kent er alle hoekjes van en zal het niet verlaten gedurende zijn hele leven, dat meestal niet langer dan een jaar duurt.

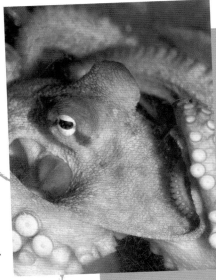

Hoeveel eitjes legt een octopus?

Antwoord 1: Soms wel een half miljoen.
Antwoord 2: Ongeveer 1000.
Antwoord 3: Twaalf.

Wie ben ik?

De octopus

MIJN WETENSCHAPPELIJKE NAAM IS:
Octopus vulgaris. Men noemt mij ook 'achtarmige inktvis' of 'kraak'.

IK BEHOOR TOT DE KLASSE VAN:
de weekdieren en ik ben een vleeseter.

MIJN GROOTTE:
Ik kan wel een meter lang worden.

MIJN GEWICHT:
Ik kan wel 5 kg wegen als ik een vrouwtje ben, en ongeveer 8 kg als ik een mannetje ben.

MIJN BIJZONDERE KENMERKEN:
Mijn lichaam, zonder beenderen, heeft acht armen die 'tentakels' worden genoemd. Daarop bevinden zich honderden zuignappen. Om vooruit te komen, doe ik mijn armen open en dicht, een beetje zoals een paraplu.

Een octopus legt soms wel een half miljoen eitjes.

Zoals trosjes rijstkorrels

Voordat het octopuswijfje haar eitjes legt, heeft ze lang gezocht naar een plekje waar de eitjes zich in alle veiligheid kunnen ontwikkelen. Het leggen zelf duurt vijftien tot dertig dagen. De honderdduizenden eitjes hangen in trossen van twee- à drieduizend aan strengen. Waarom hangt het wijfje ze aan het plafond van haar schuilplaats? Omdat ze daar het minst vuil worden. Het duurt drie maanden voordat de eitjes uitkomen, en al die maanden zal de moeder de eitjes onophoudelijk schoonmaken en aanraken. Ze is zo toegewijd dat ze haar eitjes zelfs niet verlaat om eten te gaan zoeken.

Octopuseitjes, die wat op rijstkorrels lijken, zijn slechts 2 tot 3 mm lang.

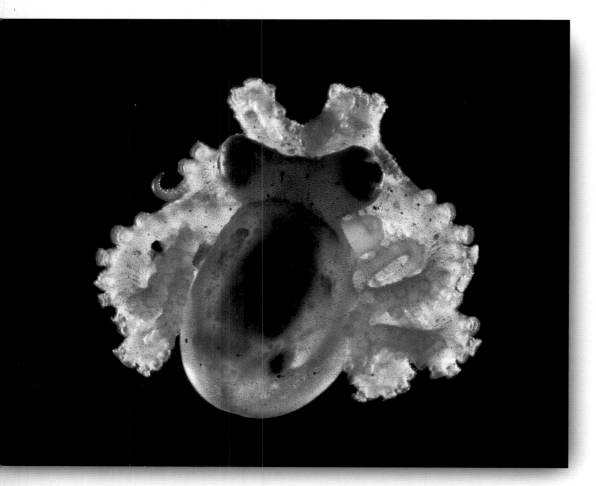

Doorschijnende larven

Na weken van toegewijde zorg komen de eitjes eindelijk uit. Het duurt één of twee dagen voordat alle kleine octopusjes tevoorschijn komen. Ze zijn slechts twee tot drie millimeter lang en hebben heel korte armpjes met maar drie zuignapjes. Onmiddellijk na de geboorte spuwt hun moeder water in hun richting. Daardoor worden ze uit elkaar gedreven, waarna ze hun eenzame leven in de zee kunnen aanvatten.

Zelfs al zijn ze maar enkele millimeters groot, toch kunnen de kleine octopusjes al zelf hun eten zoeken, dat in het begin bestaat uit larven van schaaldieren.

Het jonge octopusje loopt grote gevaren. Het kan bijvoorbeeld opgegeten worden door koraaldiertjes.

Net zoals de volwassen dieren jaagt de jonge octopus 's nachts.
Overdag verschuilt hij zich op de bodem van zijn hol.

Een eerste onderkomen

Gedurende zes tot acht weken worden de jonge octopusjes meegevoerd met de stromingen, die hen vaak heel ver weg brengen van de rots waar ze geboren zijn. Tijdens deze reis groeien hun tentakels en als die net zo lang zijn als hun lichaam, zoeken de octopussen een onderkomen op de bodem van de zee – meestal in een spleet in de rotsen.

De kleine zeeotter

Gewoonlijk heeft moeder otter maar één jong. Tweelingen zijn heel zeldzaam, en als dat gebeurt, is er maar één kleintje dat overleeft. Niet alle otterbaby's blijven even lang in de buik van hun moeder. Gewoonlijk duurt de draagtijd vier tot zes maanden, maar wanneer het heel slecht weer is, of de zee heel koud, kan dat oplopen tot een jaar. De kleintjes worden blind en zonder tanden geboren, maar zijn daarom niet kwetsbaar, want ze wegen gemiddeld al 2,3 kilogram. Dankzij dit hoge geboortegewicht hebben ze meer kans om in het water te overleven.

De geboorte vindt meestal plaats in volle zee. Wanneer de moeder op het land werpt, neemt ze haar kleintje onmiddellijk op haar buik mee het water in.

Wanneer de kleine ottertjes geboren worden, hebben ze:

Antwoord 1: al een dikke pels.

Antwoord 2: een plukje haren op hun kop.

Antwoord 3: helemaal geen haar.

Wie ben ik?

De zeeotter

MIJN WETENSCHAPPELIJKE NAAM IS:
Enhydra lutris.

IK BEHOOR TOT DE KLASSE VAN:
de zoogdieren en ik ben een vleeseter.

MIJN GROOTTE:
Ik ben 1 tot 1,20 m lang.

MIJN GEWICHT:
Ik kan wel 45 kg wegen als ik een mannetje ben en ongeveer 32 kg als ik een vrouwtje ben.

MIJN BIJZONDERE KENMERKEN:
Ik ben de enige ottersoort die maanden in de zee kan doorbrengen zonder naar het vasteland terug te keren, zelfs al leef ik dicht bij de kust. Om goed te kunnen zwemmen, heb ik zwemvliezen aan mijn achterpoten.

De kleine ottertjes hebben al bij hun geboorte een dikke pels.

De kleintjes zijn zo goed beschermd door hun vacht dat hun huid bijna helemaal droog blijft als ze in het water zitten.

Drijven als een kurk

De otters leven in zeeën of oceanen waar de temperatuur van het water vaak tegen het vriespunt is. Een pasgeboren kleintje zou dus geen enkele overlevingskans hebben als het niet met een dikke vacht zou geboren worden. De pels van de otter bestaat uit twee soorten haren: lange haren die 'stekelharen' worden genoemd, en kortere haren die we 'wolhaar' noemen. Bij pasgeboren zeeottertjes zitten tussen het wolhaar heel veel luchtbelletjes. Die isoleren het kleintje tegen de koude van het water en werken tegelijkertijd als een soort zwemvest, waardoor het jong niet kan zinken en zelfs niet kan duiken.

Toilet leren maken

Om lekker droog te blijven, zelfs wanneer hij in het water zit, moet de jonge otter zijn toilet leren maken. Hierbij strijkt hij zijn haren in met een soort olie die door zijn lichaam wordt afgescheiden en die zijn pels helemaal waterdicht maakt. Dit karwei moet elke dag worden uitgevoerd en duurt soms meerdere uren. Wanneer de otter volwassen is, bevat zijn vacht meer dan 170.000 haren per vierkante centimeter!

In tegenstelling tot de andere zeezoogdieren, heeft de zeeotter geen vetlaag onder zijn huid. Het is dus alleen zijn vacht die hem beschermt tegen de kou.

De otters zijn zo goed beschermd door hun pels dat ze zelfs in het water kunnen slapen.

Als een vis in het water

Zijn vacht is niet het enige hulpmiddel waarover de kleine otter beschikt om zich perfect aan te passen aan zijn leven in het water. Ook heeft hij zwemvliezen aan zijn achterpoten waardoor hij heel snel vooruit kan komen. Bovendien kan hij zijn neusgaten en oren hermetisch sluiten om te duiken en kan hij tot vijf minuten onder water blijven zonder te ademen.

Om haar kleintje te beschermen tegen roofdieren, draagt moeder otter het veilig op haar buik.

De kleine
witte haai

Al bij zijn geboorte lijkt het haaitje op een miniatuurversie van een volwassen haai. Het is ongeveer anderhalve meter lang en klaar om helemaal alleen de grote oceaan te trotseren. Maar waar is zijn moeder toch? Ze is wellicht al vertrokken om haar leven ergens anders voort te zetten, want als haar jongen eenmaal geboren zijn, wil ze er niet meer voor zorgen. Erger nog, ze zou wel eens zin kunnen krijgen om ze op te vreten. Gelukkig maakt haar lichaam op het moment van de geboorte een stof aan die haar eetlust wegneemt. Hoeveel kleintjes ze ter wereld heeft gebracht? Dat weet eigenlijk niemand precies, want dit is heel moeilijk te observeren. Wetenschappers denken dat het er meestal één tot tien per keer zijn.

Het pasgeboren haaitje is al een schrikwekkend roofdier, met zijn bek vol scherpe tanden!

Waarom heeft de witte haai een vin op zijn rug?

Antwoord 1: Om iedereen angst aan te jagen.

Antwoord 2: Om te communiceren met andere haaien.

Antwoord 3: Om in evenwicht te blijven wanneer hij zwemt.

Wie ben ik?

De grote witte haai

MIJN WETENSCHAPPELIJKE NAAM IS:
Carcharodon carcharias.

IK BEHOOR TOT DE KLASSE VAN:
de kraakbeenvissen en ik ben een vleeseter.

MIJN GROOTTE:
Ik meet 4 tot 6 m vanaf het puntje van mijn neus tot het uiteinde van mijn staartvin.

MIJN GEWICHT:
Ik kan ongeveer 3 ton wegen.

MIJN BIJZONDERE KENMERKEN:
Ik ben de grootste roofvis ter wereld. In mijn bek heb ik zestig driehoekige tanden. Zodra er een tand uitvalt, groeit er onmiddellijk weer een nieuwe!

De witte haai heeft een vin op zijn rug om in evenwicht te blijven wanneer hij zwemt.

Vin in zicht!

Al vanaf zijn geboorte heeft de kleine haai, net zoals de volwassen dieren, een uiterlijk kenmerk dat hem heel gemakkelijk herkenbaar maakt: zijn rugvin. Die driehoekige vin steekt boven water uit wanneer de haai net onder de oppervlakte zwemt. Deze vin is van groot belang voor deze enorme vis, want hij zorgt ervoor dat de haai in evenwicht blijft in het water, net zoals de kiel van een boot.

Bij de geboorte van het haaitje is zijn rugvin nog zacht, zodat de moeder niet gewond raakt wanneer ze het jong ter wereld brengt. Daarna wordt de vin snel hard.

Zwemtechnieken

Zodra de jonge witte haai ter wereld is gekomen, moet hij voortdurend zwemmen. Als hij dat niet zou doen, zou hij niet voldoende zuurstof binnenkrijgen en de verstikkingsdood sterven. Om zich te verplaatsen, kronkelt hij zijn lichaam in grote S-vormige bewegingen. Dankzij zijn sterke staartvin kan hij vooruitkomen. Meestal zwemt een haai maar met een snelheid van drie kilometer per uur, maar hij kan ook plotseling versnellen tot vijfentwintig kilometer per uur.

Door zijn borstvinnen te bewegen, kan de haai naar de bodem dalen, maar ook afremmen en van richting veranderen.

Een vreemde boei

Om dieper te duiken of net meer naar de oppervlakte te gaan zwemmen, gebruiken vissen een zwemblaas, een soort inwendige boei, die ze legen of vullen naarmate ze willen stijgen of dalen. Bij de witte haai vervult de lever deze rol van inwendige boei. Dit orgaan is bij hem gevuld met een heel lichte olie die hem in staat stelt om te drijven.

De lever van de grote witte haai is kolossaal. Bij een volwassen dier van drie ton weegt hij ongeveer een ton!

Net zoals sommige andere vissen, is ook de witte haai niet in staat om achteruit te zwemmen. Om terug te gaan vanwaar hij gekomen is, moet hij zich dus omdraaien.

De kleine
clownvis

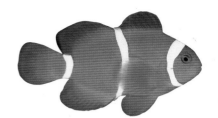

Op de bodem van de zee is het pikdonker, want het is midden in de nacht. De eitjes van het clownvisje zijn aan het uitkomen. Het wijfje heeft er honderd tot zevenhonderd gelegd. Ze zijn lang en smal, nauwelijks een millimeter breed, en liggen samen op een rots. Het mannetje heeft ze gedurende tien dagen bewaakt en voortdurend schoongemaakt. Nu drijven de kleine larven overal in het rond, maar het zal nog enkele dagen duren voordat ze veranderen in kleine visjes. De larven die nu nog niet naar buiten gekomen zijn, zullen moeten wachten tot de volgende nacht, want de eitjes komen nooit overdag uit.

Hoewel het nog maar enkele dagen oud is, zoekt het jonge clownvisje al naar een anemoon om in te leven.

Waarom zijn de kleine clownvisjes, net zoals hun ouders, zo fel gekleurd?

Antwoord 1: Omdat ze willen dat iedereen hen van heel veraf ziet.

Antwoord 2: Om andere vissen af te schrikken.

Antwoord 3: Omdat ze altijd blij zijn.

Wie ben ik?

Het clownvisje

MIJN WETENSCHAPPELIJKE NAAM IS:
Amphiprion ocellaris.

IK BEHOOR TOT DE KLASSE VAN:
de vissen en ik eet plankton.

MIJN GROOTTE:
Ik ben 9 cm lang als ik een mannetje ben en 11 cm als ik een vrouwtje ben.

MIJN BIJZONDERE KENMERKEN:
Ik leef in de koraalriffen van de Stille Oceaan. Ik ben feloranje van kleur, met drie witte banden. Ik ben onafscheidelijk van de zeeanemoon waarin ik leef en die ik in ruil verdedig. Ik word ook 'driebands anemoonvis' genoemd.

De clownvisjes zijn fel gekleurd om andere vissen af te schrikken.

Opgelet, kom niet dichterbij!

In de natuur duiden de opzichtige kleuren van een dier meestal op gevaar. Dat geldt ook voor de clownvisjes. Je moet dus niet afgaan op hun naam. Hun opvallende gestreepte uiterlijk is een waarschuwing aan de andere vissen: 'Kom niet te dichtbij, of het zal je berouwen!' Hun wervelende manier van zwemmen is geen uiting van blijheid, maar een manier om hun agressiviteit te tonen aan wie te dicht bij hun eieren of hun territorium zou willen komen.

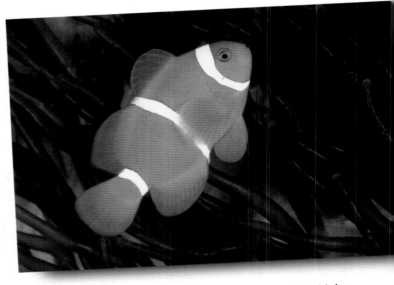

Net zoals de volwassen dieren, is ook de kleine clownvis feloranje met brede witte banden.

Leven in een anemoon

Clownvisjes, zowel de jongen als de volwassenen, willen tot elke prijs hun territorium verdedigen. Dat territorium is altijd een zeeanemoon. Die lijkt wel op een plant, maar vergis je niet: het is wel degelijk een dier! De zeeanemoon is zelfs gevaarlijk vanwege zijn giftige tentakels. En toch kan het clownvisje er ongehinderd in leven.

De zeeanemoon dient als huisvesting voor de clownvisjes. Om te slapen verbergen ze zich tussen de tentakels.

Leren samenleven

Waarom is het clownvisje niet bang van de tentakels van de zeeanemoon? Omdat het een stof afscheidt die het beschermt tegen het gif ervan. Al op heel jonge leeftijd gaat het visje tegen de anemoon zwemmen die het als onderkomen heeft uitgekozen. Eerst doet het dat heel snel, maar daarna steeds langzamer, waardoor de vis zich aanpast aan de anemoon. Het gif heeft geen effect meer op het clownvisje.

In ruil voor deze bescherming verwacht de zeeanemoon van de clownvisjes dat ze belagers wegjagen die haar proberen op te eten.

Om zijn zeeanemoon te verdedigen, aarzelt het clownvisje niet om vissen aan te vallen die veel groter zijn dan hij.

De andere vissen in de zee

De maanvis is de grootste beenvis ter wereld. Hij heeft een vreemd cirkelvormig lichaam dat gemiddeld twee meter breed is, en weegt meestal ongeveer duizend kilogram, al kunnen sommige maanvissen meer dan twee keer zo zwaar zijn! In tegenstelling tot de meeste andere vissen is de huid van de maanvis kaal en heel ruw, maar niet bedekt met schubben. Hoewel maanvissen soms tot wel tweehonderd meter diep duiken, houden ze er ook van om aan de oppervlakte op hun zij te dobberen, alsof ze zich rustig willen laten meedrijven met de stroming. De vrouwtjes kunnen bij elk legsel wel driehonderd miljoen eitjes afzetten, wat hen de recordhouders van het dierenrijk maakt.

Ondanks de indrukwekkende omvang van de maanvis eet hij alleen maar kleine prooien, zoals weekdieren en schaaldieren.

Welke warmwatervis blaast zich helemaal op door water in te slikken wanneer hij bang is?

Antwoord 1: De egelvis.

Antwoord 2: De blauwgespikkelde pijlstaartrog.

Antwoord 3: De koraalduivel.

Wie ben ik?

De maanvis

MIJN WETENSCHAPPELIJKE NAAM IS:
Mola mola.

IK BEHOOR TOT DE KLASSE VAN:
de vissen en ik ben een vleeseter.

MIJN GROOTTE:
De diameter van mijn lichaam kan wel 4 m bedragen.

MIJN GEWICHT:
Ik kan wel 2000 kg wegen.

MIJN BIJZONDERE KENMERKEN:
Ik leef in tropische zeeën, in de Stille Oceaan en in de zeeën van West-Europa. Men noemt mij ook 'klompvis'.

Wanneer de egelvis bang is, blaast hij zich op door water in te slikken.

De egelvis heeft slechts twee tanden, maar wat voor tanden! Ze nemen de hele breedte van zijn bek in beslag en zijn sterk genoeg om moeiteloos de schaal van een weekdier te breken.

Een opgezwollen vis

De egelvis doet zijn naam pas eer aan wanneer hij bang is. Dan blaast hij zich helemaal op door water in te slikken, waardoor hij een stekelige bal wordt. Gewoonlijk liggen zijn stekels plat tegen zijn lichaam, maar nu gaan ze plotseling overeind staan. Een belager die te dichtbij komt, zal dat snel betreuren, want de stekels prikken niet alleen, maar bevatten ook gif.

Sardienen hebben geen verdedigingsmiddel. Daarom blijven ze dicht bij elkaar zwemmen om elkaar te beschermen.

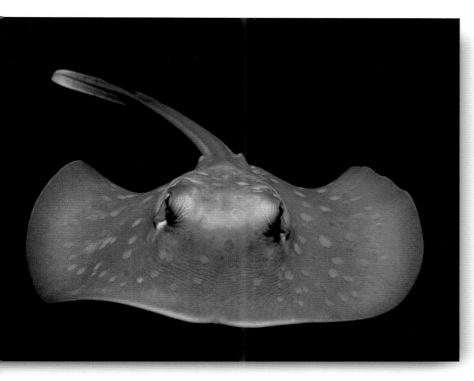

Om zijn prooien te vangen, gaat de blauwgespikkelde rog
erbovenop liggen zodat ze niet meer kunnen bewegen.
Daarna gebruikt hij zijn tanden om ze op te eten.

Opgelet, gevaar!

De blauwgespikkelde pijlstaartrog is
een gevreesde vis. Dat geeft hij met zijn
kleuren te kennen aan iedereen die te
dichtbij durft te komen. De opzichtige
blauwe vlekken zijn een duidelijke
waarschuwing. Op zijn staart heeft hij
een angel met een gif dat felle pijnen en
soms zelfs de dood veroorzaakt. De rog
gebruikt die angel niet om te jagen,
maar om zich te verdedigen. Meestal
verbergt hij zich met zijn platte lijf op
de bodem van de zee, waarbij alleen
zijn ogen nog boven het zand uitsteken.
's Nachts jaagt hij op schaaldieren,
zeesterren en zelfs zee-egels.

Let op, gevaarlijke vis

Wanneer hij zijn vinnen
uitspreidt, lijkt de koraalduivel in
het water te zweven. Deze vis is
een van de mooiste vissen in de
koraalriffen, maar ook een van de
gevaarlijkste. Zijn rugvin bevat
grote giftige stekels, die zeer
pijnlijk of zelfs dodelijk kunnen
zijn voor de mens. Overdag
verstopt hij zich in de koraalriffen
en wacht hij tot de nacht valt om
te gaan jagen.

Bij het jagen vangt de koraalduivel zijn prooi door zijn grote
buikvinnen naar voor te brengen, waarna hij zijn vangst
rustig opeet.

De kleine zeekrokodil

Moeder krokodil weet niet waar ze moet beginnen om haar tientallen jongen te bewaken die overal over het strand lopen. Ze zijn nog maar net geboren, maar kunnen al goed zwemmen dankzij de zwemvliezen aan hun achterpoten. Als de jongen volgroeid zijn, kunnen ze honderden kilometers in volle zee afleggen. Op dit moment gaan ze nog niet te ver weg van het strand waar ze leren jagen. Terwijl hun ouders vissen, vogels en zoogdieren eten, houden zij het voorlopig bij kleine kikvorsen, weekdieren of zelfs larven.

De kleine krokodil heeft de eierschaal opengebroken met behulp van zijn 'eitand' vooraan op zijn bek. Dit knobbeltje valt er na enkele dagen af.

Hoeveel eieren legt de krokodil per keer?

Antwoord 1: Altijd minder dan 10.

Antwoord 2: 25 tot 90.

Antwoord 3: Meer dan 150.

Wie ben ik?

De zeekrokodil

MIJN WETENSCHAPPELIJKE NAAM IS:
Crocodylus porosus.

IK BEHOOR TOT DE KLASSE VAN:
de reptielen en ik ben een vleeseter.

MIJN GROOTTE:
Ik kan wel 6 m lang worden.

MIJN GEWICHT:
Ik kan meer dan een ton wegen.

MIJN BIJZONDERE KENMERKEN:
Ik ben een van de zwaarste reptielen ter wereld. Om gemakkelijker te kunnen zwemmen, heb ik zwemvliezen aan mijn achterpoten. Ik word ook 'kamkrokodil' genoemd omdat ik twee rijen rechtopstaande schubben op mijn rug heb.

De krokodil legt per keer 25 tot 90 eieren.

Deze kleine krokodilletjes worden niet aan hun lot overgelaten. Zodra ze geboren zijn, neemt hun moeder hen in haar bek mee het water in.

Nieuw leven

Moeder krokodil legt haar eieren aan de rand van het water. Vervolgens bedekt ze de eieren met bladeren en algen, die ze in haar bek aanvoert. Ze maakt een grote hoop, die wel een meter hoog kan worden, en verstevigt die aan de basis met modder. Het wijfje hoeft niet op het nest te gaan zitten om te broeden, want de eieren worden door de rottende bladeren voldoende warm gehouden om de jongen te laten ontwikkelen. Ze blijft wel drie maanden lang dicht bij het nest om haar legsel te verdedigen tegen roofdieren.

Mannetje of wijfje?

Of het krokodillenjong een mannetje of een wijfje is, hangt af van de temperatuur in het nest tijdens de ontwikkeling van de eieren. Was de temperatuur in het nest 31,5°C, dan worden de kleintjes meestal mannetjes. De jongen zullen sowieso niet overleven als de temperatuur in het nest lager dan 28°C of hoger dan 35°C is.

De jonge zeekrokodillen zijn pas volgroeid op de leeftijd van twaalf jaar. Pas dan kunnen ze zich ook voortplanten.

De ogen en de neusgaten van de zeekrokodil bevinden zich boven op zijn kop, zodat hij kan zien en kan ademen wanneer hij onder het wateroppervlak verscholen ligt.

Niet gemakkelijk om volwassen te worden!

Hoewel het wijfje tientallen eieren heeft gelegd, schat men dat van elk legsel maar één jong de volwassen leeftijd bereikt. Ondanks de toegewijde zorg van de moeder, die gedurende meerdere weken dicht bij hen blijft, vallen de meeste jongen ten prooi aan roofdieren. Ze moeten trouwens vooral opletten voor de volwassen mannetjeskrokodillen, die heel vaak de kleintjes doden om ze op te eten!

Onder water worden de ogen van de zeekrokodil beschermd door een doorzichtig ooglid.

De kleine krab

Bij hun geboorte hebben de jonge krabben nog geen schild. Het zijn niet meer dan minuscule larven, die na verloop van tijd uitgroeien tot miniatuurkrabbetjes. Ze nestelen zich op de bodem van het water, waar ze gedurende ongeveer twee jaar blijven. Daar vormen ze hun eerste schild. Maar naarmate ze groter worden, moeten ze natuurlijk van schild veranderen! Dit proces, dat we 'vervelling' noemen, zullen de krabben bijna tien keer doormaken voordat ze volwassen zijn. Het schild is als een pantser: het beschermt hun lichaam, dat helemaal zacht is omdat het geen skelet bevat.

De noordzeekrab heeft twee krachtige scharen waarmee hij vissen en schaaldieren vangt om ze op te eten.

Hoeveel soorten krabben bestaan er?

Antwoord 1: Ongeveer 20.
Antwoord 2: Iets minder dan 500.
Antwoord 3: Ongeveer 3500.

Wie ben ik?

De noordzeekrab

MIJN WETENSCHAPPELIJKE NAAM IS:
Cancer pagurus.

IK BEHOOR TOT DE KLASSE VAN:
de schaaldieren en ik ben een vleeseter.

MIJN GROOTTE:
Mijn schild is gemiddeld 23 cm breed.

MIJN GEWICHT:
Ik weeg ongeveer 2 kg.

MIJN BIJZONDERE KENMERKEN:
Ik heb een ovaalvormig schild en vijf paar poten, waarvan het eerste paar omgevormd is in krachtige scharen. Ik moet onder meer oppassen voor de octopus en de zeeotter, voor wie ik een heel lekker hapje ben.

Er bestaan ongeveer 3500 soorten krabben.

Een krab in de bomen

De kokoskrab kan wel zeventien kilogram wegen! Wanneer hij volwassen is, leeft hij alleen nog maar op het vasteland. De kleintjes groeien op in het water en zijn nog niet in staat om zelf hun schild te vormen. Om hun weke lichaam te beschermen, verschuilen ze zich in lege schelpen. Wanneer ze te groot worden voor de ene schelp, zoeken ze een andere die groter is. Als dat niet meer lukt, dan gebruiken ze soms zelfs stukken kokosnoot! Pas wanneer ze geen onderkomen meer vinden, noch in het water, noch op het land, neemt hun schild vaste vorm aan.

Als hij eenmaal volwassen is, kan de kokoskrab niet opnieuw in het water gaan leven omdat hij niet meer kan zwemmen en dus zou verdrinken.

De Christmas Island-landkrab is ongeveer 10 cm breed. Hij leeft ver van de zee, maar gaat er één keer per jaar weer naartoe om zich voort te planten.

De vioolkrab wordt ook 'wenkkrab' genoemd omdat hij met zijn grote schaar zwaait om de wijfjes te lokken.

Wat een grote schaar

Het mannetje van de vioolkrab heeft een enorme schaar. Wanneer hij ermee zwaait, lijkt het wel een beetje alsof hij een strijkstok beweegt. De schaar dient om de wijfjes te lokken, die verleid worden door de grootte en de felle kleur ervan. Soms observeren de wijfjes de mannetjes lange tijd voordat ze beslissen wie ze de mooiste vinden! De wijfjeskrabben leggen hun eitjes in een kuil die het mannetje voor hen uitgraaft, waarna hij de eitjes bevrucht.

Een zee van krabben

De Christmas Island-landkrab leeft op Christmas Island, een klein eilandje voor de Australische kust. Hij leeft in het woud, maar elk jaar trekt hij voor een maand naar de zee om zich voort te planten. In die periode wordt het hele eiland overspoeld door tienduizenden rode krabben. Elk wijfje legt bijna honderdduizend eitjes, die zich gedurende een maand in het water ontwikkelen tot kleine krabbetjes. De jongen trekken dan op hun beurt met miljoenen tegelijk het woud in!

De porseleinkrab komt aan voedsel door het zeewater te filteren. Zijn scharen gebruikt hij alleen om zich te verdedigen.

De kleine noordse stern

Sinds enkele dagen breken honderden noordse sterntjes hun eierschalen open en slaken ze hun eerste kreetjes. Aangetrokken door deze overvloed aan jonge prooien, zweeft een slechtvalk over de kolonie. Zodra de vogel die de wacht heeft het gevaar in de gaten krijgt, slaakt hij luide, schorre kreten. Na deze waarschuwing vliegen alle sternen op en storten ze zich op de indringer, die zich snel uit de 'vleugels' maakt. Nu het gevaar is geweken, keren de koppels terug naar hun nest, meestal gewoon een kuiltje in de grond waarin ze wat planten hebben neergelegd. Daar, op het strand of op de rand van een klif, heeft het wijfje haar twee of drie eieren gelegd.

De jongen van de noordse stern, die gehuld zijn in een grijs donskleed, maken flink wat herrie. Gelukkig blijven hun ouders samen om voor hen te zorgen.

In welke gebieden van de wereld maakt de noordse stern zijn nest?

Antwoord 1: In de gebieden rond de Noordelijke IJszee.

Antwoord 2: In de gebieden rond de evenaar.

Antwoord 3: Op Antarctica.

Wie ben ik?

De noordse stern

MIJN WETENSCHAPPELIJKE NAAM IS:
Sterna paradisaea. Ik word ook 'zeezwaluw' genoemd.

IK BEHOOR TOT DE KLASSE VAN:
de vogels en ik ben een viseter.

MIJN GROOTTE:
Ik meet 33 tot 35 cm vanaf het puntje van mijn snavel tot het uiteinde van mijn staart, en heb een spanwijdte van 80 tot 95 cm.

MIJN GEWICHT:
Ik weeg niet meer dan 120 gram.

MIJN BIJZONDERE KENMERKEN:
Ik ben helemaal wit, met een zwart kapje op mijn kop. Mijn poten en mijn snavel zijn bloedrood. Ik heb een lange gevorkte staart.

De noordse stern maakt zijn nest in de gebieden rond de Noordelijke IJszee.

De ouders voeden hun kleintjes vaak in de vlucht, maar brengen ook stukjes vis naar het nest.

De eerste lessen

De jonge noordse sternen zijn heel sterk. Ze zijn nog maar enkele dagen oud en zijn nog bedekt met een grijs donskleed. Hun ouders voeden hen nu nog met stukjes vis die ze naar het nest brengen. Maar de kleintjes leren al snel hoe ze moeten vissen door hun ouders in de verte gade te slaan. Weldra zullen ze, net als zij, ook daar boven het water blijven vliegen en zich vervolgens in het water storten om een vis te vangen die net onder het wateroppervlak is verschenen.

Deze jonge noordse stern is klaar voor zijn eerste vlucht naar de Zuidpool. Tijdens die reis loopt hij heel wat gevaren.

De noordse sternen duiken vaak plotseling het water in om een vis te vangen. Ze komen onmiddellijk weer boven en slikken hun vangst in volle vlucht door.

Een vliegkampioen

Drie weken na hun geboorte kunnen de jonge noordse sternen al vliegen. Eerst vliegen ze wat rond het nest, zonder te ver weg te gaan, maar algauw verzamelen ze al hun moed en gaan ze achter hun ouders aan wanneer die gaan vissen. De sternen vliegen niet alleen sierlijk, maar ook heel snel. Van alle vogels ter wereld hebben zij de grootste spanwijdte in verhouding tot de lengte van hun lichaam.

Op weg naar de pool

De jongen die in het begin van de lente geboren zijn, zijn nauwelijks vijf maanden oud wanneer hun ouders zich op het einde van de zomer klaarmaken om naar de Zuidpool te trekken. Ze zijn al sterk genoeg om mee te gaan en hoeven geen vetreserves aan te leggen om zich voor te bereiden op de reis. Ze kunnen immers al zelf vissen en zullen onderweg in de zeeën en de oceanen hun voedsel zoeken.

Deze zeevogels, die de winter dicht bij de Zuidpool doorbrengen, keren in de lente terug naar de Noordpool om er hun nest te bouwen. Sommige leggen in de loop van hun leven een afstand af die zo groot is als die tussen de aarde en de maan!

De kleine walvis

Het bultrugwijfje heeft net een heel lange reis gemaakt. Nadat ze tijdens de zomer een voedselreserve had opgedaan in de zeeën van de Noord- of de Zuidpool, is ze naar de warmere wateren van de tropische gebieden gezwommen om haar jong ter wereld te brengen. Zodra het geboren is moet het walvisjong naar de oppervlakte om voor de eerste keer adem te halen. Volwassen walvissen kunnen veertig minuten onder water blijven zonder te ademen, maar het kleintje moet tijdens de eerste weken van zijn leven om de vijf minuten naar de oppervlakte. Het kost het jong bovendien veel moeite om zijn kop boven water te krijgen.

De bultrug draagt haar jong gedurende elf tot twaalf maanden. Moeder en kind hebben een heel sterke band, die verschillende jaren standhoudt.

Hoeveel liter melk drinkt een walvisjong per dag?

Antwoord 1: Niet meer dan 20 liter.

Antwoord 2: Minstens 200 liter.

Antwoord 3: Iets minder dan 500 liter.

Wie ben ik?

De bultrug

MIJN WETENSCHAPPELIJKE NAAM IS:
Megaptera novaeangliae.

IK BEHOOR TOT DE KLASSE VAN:
de zoogdieren, ik behoor tot de orde van de walvisachtigen en ben een viseter.

MIJN GROOTTE:
Ik kan tussen de 11,5 en 19 m groot worden.

MIJN GEWICHT:
Ik kan 25 tot 50 ton wegen.

MIJN BIJZONDERE KENMERKEN:
Ondanks mijn gewicht kan ik met een snelheid van 25 km/u zwemmen en kan ik met mijn hele lichaam uit het water springen. Om met andere bultruggen te communiceren, gebruik ik een eigen gezang, dat voor elke bultrug verschillend is.

67

Een walvisjong drinkt minstens tweehonderd liter melk per dag.

Een reuzehonger!

Het bultrugjong, dat bij zijn geboorte al bijna twee ton weegt, drinkt elke dag tweehonderd liter moedermelk! Die melk is heel voedzaam, waardoor het jong goed kan groeien en snel in gewicht toeneemt. Elke dag wordt het zestig kilogram zwaarder, en op de leeftijd van één jaar is het al acht meter lang, tweemaal zo lang als bij zijn geboorte. De moeder zoogt het jong onophoudelijk gedurende minstens zes maanden. Dat is voor haar een heel uitputtend karwei, want zolang ze in de warme zeeën is, eet ze helemaal niets en leeft ze van de voedselreserves die ze de voorgaande zomer in de polaire wateren heeft verzameld.

In de zes maanden dat ze haar jong zoogt, verliest de moeder een derde van haar gewicht, dat wil zeggen: meerdere tonnen!

Het bultrugjong heeft geleerd om in het kielzog van zijn moeder te zwemmen, zo wordt het minder snel moe.

Als het jong een mannetje is, zal het net als de volwassen mannetjes uit het water kunnen springen.

Op weg naar de polen

De jonge bultruggen zijn nu vier maanden oud, en het is voor hun moeders tijd om terug te gaan naar de koude poolzeeën. Na een tocht van duizenden kilometers zullen ze daar eindelijk weer voedsel gaan eten, bestaande uit kleine vissen en minuscule planktonkreeftjes: het krill. De jongen zijn nu sterk genoeg om deze reis te gaan maken. Voor het vertrek hebben ze samen met de volwassenen 'getraind' door lange afstanden weg van de kusten af te leggen om hun spieren te verstevigen.

Nieuw voedsel

Na een tocht van duizenden kilometers proeven de jonge bultruggen voor het eerst van een nieuw soort voedsel… zelfs al blijven hun moeders hen soms nog zogen. In de koude wateren van de poolgebieden beginnen ze krill en kleine visjes te eten. Daar leren ze ook de jaagtechnieken van de volwassen dieren. Om scholen vissen te vangen, blazen de bultruggen duizenden luchtbelletjes uit het spuitgat op hun kop, waarna ze zich met open bek midden in dit vreemde net storten.

De jonge bultrug leert om het water in zijn bek te laten stromen en het door zijn 340 baleinplaten te filteren om zo het voedsel eruit te halen.

De grote quiz over de kleintjes van de zee

De dolfijn, de zeemeeuw, de lederschildpad, de bultrug, de zeeleeuw… de kleintjes van de dieren van de zee hebben je al hun geheimen verteld. Nu is het hun beurt om je enkele vragen te stellen waarop jij het goede antwoord moet vinden! Als je het antwoord op de vraag niet kent, zoek het dan op in je boek.*

DE LEDERSCHILDPAD

De eieren van de lederschildpad zijn:

Antwoord 1: zo groot als een biljartbal.

Antwoord 2: zo groot als een pingpongbal.

Antwoord 3: zo groot als een voetbal.

Stel je hebt 1000 schildpaddeneieren. Hoeveel van de jongen die eruit komen, bereiken de volwassen leeftijd?

Antwoord 1: Ongeveer 100.

Antwoord 2: Maar een paar.

Antwoord 3: Iets minder dan 500.

DE DOLFIJN

Door wie wordt het dolfijntje opgevoed?

Antwoord 1: Door zijn moeder en een ander wijfje.

Antwoord 2: Alleen door zijn vader.

Antwoord 3: Door zijn vader en een ander mannetje.

Waarom loopt het pasgeboren dolfijntje het gevaar te verdrinken?

Antwoord 1: Omdat het niet kan zwemmen.

Antwoord 2: Omdat het te zwaar is.

Antwoord 3: Omdat zijn longen leeg zijn.

DE ZEELEEUW

De manier van zwemmen van de zeeleeuw lijkt op:

Antwoord 1: vlinderslag.

Antwoord 2: crawl.

Antwoord 3: schoolslag.

Hoe diep kan de zeeleeuw duiken?

Antwoord 1: 10 meter diep.

Antwoord 2: 100 meter diep.

Antwoord 3: 50 meter diep.

HET ZEEPAARDJE

Waarom zijn de kleine zeepaardjes zo moeilijk te vinden in het water?

Antwoord 1: Omdat ze zich verstoppen onder stenen.

Antwoord 2: Omdat ze van kleur kunnen veranderen.

Antwoord 3: Omdat ze doorzichtig zijn.

Zeepaardjes zijn:

Antwoord 1: vissen.

Antwoord 2: zoogdieren.

Antwoord 3: schaaldieren.

DE ZEEMEEUW

Waaraan herkennen de zilvermeeuwen hun jongen?

Antwoord 1: Aan het geluid dat ze maken.

Antwoord 2: Aan de vlekken op hun kop.

Antwoord 3: Aan de kleur van hun snavel.

Wat doen de ouders van zeemeeuwtjes die net uit het ei zijn gekomen?

Antwoord 1: Ze gooien de stukken eierschaal uit het nest.

Antwoord 2: Ze strelen hun kleintjes.

Antwoord 3: Ze geven hun kleintjes te eten.

DE ORKA

Hoe noemen we de orka nog?

Antwoord 1: Zwaardwalvis.

Antwoord 2: Zeekoe.

Antwoord 3: Narwal.

Hoelang blijft de kleine orka in de buik van zijn moeder?

Antwoord 1: 6 maanden.

Antwoord 2: 17 maanden.

Antwoord 3: 22 maanden.

DE OCTOPUS

Hoe noemen we de octopus nog?

Antwoord 1: Pijlinktvis.

Antwoord 2: Zeekat.

Antwoord 3: Kraak.

Hoe noemen we de armen van de octopus?

Antwoord 1: Scharen.

Antwoord 2: Zuignappen.

Antwoord 3: Tentakels.

DE ZEEOTTER

Waar slapen zeeotters?

Antwoord 1: In een hol.

Antwoord 2: In de zee.

Antwoord 3: Hoog in een boom.

Vanaf welke leeftijd kunnen zeeottertjes duiken?

Antwoord 1: Vanaf hun geboorte.

Antwoord 2: Wanneer ze twee maanden oud zijn.

Antwoord 3: Wanneer ze een jaar oud zijn.

HET CLOWNVISJE

Bij welk dier vindt het clownvisje een onderkomen?

Antwoord 1: De octopus.

Antwoord 2: De zeeanemoon.

Antwoord 3: De krab.

Wie is het grootst bij de clownvisjes: het mannetje of het vrouwtje?

Antwoord 1: Het mannetje.

Antwoord 2: Het vrouwtje.

Antwoord 3: Ze zijn even groot.

DE WITTE HAAI

Als de witte haai me verliest, groei ik direct weer aan. Wat ben ik?

Antwoord 1: Een tand.

Antwoord 2: De staart.

Antwoord 3: De rugvin.

De witte haai blijft drijven dankzij een deel van zijn lichaam waarin olie zit. Welk deel?

Antwoord 1: De rugvin.

Antwoord 2: Het hart.

Antwoord 3: De lever.

DE ANDERE VISSEN IN DE ZEE

Welke vorm heeft de maanvis?

Antwoord 1: De vorm van een halve maan.

Antwoord 2: Rond.

Antwoord 3: Een ruit.

Waarom is de blauwgespikkelde pijlstaartrog gevaarlijk?

Antwoord 1: Omdat hij een giftige angel heeft.

Antwoord 2: Omdat hij gevaarlijk kan bijten.

Antwoord 3: Omdat hij elektrische stoten geeft.

DE ZEEKROKODIL

Waar zit de 'eitand' van een pasgeboren zeekrokodilletje?

Antwoord 1: Op zijn rug.

Antwoord 2: In zijn bek.

Antwoord 3: Vooraan op zijn bek.

Op welke leeftijd is de zeekrokodil volgroeid?

Antwoord 1: 2 jaar.

Antwoord 2: 12 jaar.

Antwoord 3: 18 jaar.

DE KRAB

Wanneer de krab van schild verandert, zeggen we dat hij:

Antwoord 1: verschraalt.

Antwoord 2: vervelt.

Antwoord 3: verschildt.

Bij welke krabbensoort is een schaar veel groter dan de andere?

Antwoord 1: De vioolkrab.

Antwoord 2: De Christmas Island-landkrab.

Antwoord 3: De kokoskrab.

DE NOORDSE STERN

Wat doen de volwassen noordse sternen als hun jongen aangevallen worden?

Antwoord 1: Ze vliegen snel weg.

Antwoord 2: Ze gaan in de tegenaanval.

Antwoord 3: Ze verstoppen zich.

Waar brengen de noordse sternen de winter door?

Antwoord 1: Dicht bij de Noordpool.

Antwoord 2: Dicht bij de Zuidpool.

Antwoord 3: Aan de evenaar.

DE WALVIS

Hoelang kan een bultrug onder water blijven zonder te ademen?

Antwoord 1: Ongeveer 40 minuten.

Antwoord 2: 6 uren.

Antwoord 3: Een hele dag.

Met hoeveel kilo verhoogt het gewicht van de kleine bultrug elke dag in het begin van zijn leven?

Antwoord 1: 4 kilogram.

Antwoord 2: 22 kilogram.

Antwoord 3: 60 kilogram.

Antwoomden

De dolfijn

De kleine dolfijn wordt opgevoed door zijn moeder en een ander wijfje.

Het pasgeboren dolfijntje loopt het gevaar te verdrinken omdat zijn longen leeg zijn.

De lederschildpad

De eieren van de lederschildpad zijn ongeveer even groot als een biljartbal.

Per duizend eieren bereiken maar een paar schildpadden de volwassen leeftijd.

De zeeleeuw

De manier van zwemmen van de zeeleeuw lijkt op schoolslag.

De zeeleeuw kan wel honderd meter diep duiken.

Het zeepaardje

De kleine zeepaardjes zijn zo moeilijk te vinden in het water omdat ze doorzichtig zijn.

Zeepaardjes zijn vissen.

De zeemeeuw

De zilvermeeuwen herkennen hun jongen aan de vlekken op hun kop.

Wanneer de zeemeeuwtjes net uit het ei zijn gekomen, gooien hun ouders de stukken eierschaal uit het nest.

De orka

Een andere naam voor de orka is 'zwaardwalvis'.

De kleine orka blijft zeventien maanden in de buik van zijn moeder.

De octopus

De octopus noemen we ook 'kraak'.

De armen van de octopus noemen we 'tentakels'.

De zeeotter

Zeeotters slapen in de zee.

De kleine zeeottertjes kunnen duiken wanneer ze twee maanden oud zijn.

De witte haai

Als de witte haai me verliest, groei ik direct weer aan: ik ben een tand.

De witte haai blijft drijven dankzij zijn lever, waarin een heel lichte olie zit.

Het clownvisje

Het clownvisje vindt een onderkomen bij de zeeanemoon.

Bij de clownvisjes is het vrouwtje altijd het grootst.

De andere vissen in de zee

De maanvis is rond.

De blauwgespikkelde pijlstaartrog is gevaarlijk omdat hij een giftige angel heeft.

De zeekrokodil

De 'eitand' van een pasgeboren zeekrokodilletje zit vooraan op zijn bek.

De zeekrokodil is volgroeid op de leeftijd van twaalf jaar.

De krab

Wanneer de krab van schild verandert, zeggen we dat hij 'vervelt'.

Bij de vioolkrab is een schaar veel groter dan de andere.

De noordse stern

Als hun jongen aangevallen worden, gaan de noordse sternen in de tegenaanval.

De noordse sternen overwinteren dicht bij de Zuidpool.

De walvis

Een bultrug kan ongeveer veertig minuten onder water blijven zonder te ademen.

In het begin van zijn leven komt een bultrug elke dag zestig kilogram aan.

Kleine woordenlijst

• Baleinen
Hoornachtige platen in de bek van de walvis waarmee hij voedsel uit het water zeeft.

• Buikvin
Elk van de vinnen aan de buik van het dier.

• Donsveren
De eerste veertjes van pasgeboren vogeltjes.

• Gespeend
Dit zeggen we over een dier dat niet meer door zijn moeder gezoogd wordt.

• Kolonie
Een groep dieren van dezelfde soort die een territorium delen in de paartijd. Zeeleeuwen en zilvermeeuwen vormen kolonies.

• Krill
Kleine schaaldiertjes die als voedsel dienen voor sommige zeedieren, zoals de walvis.

• Larve
De eerste toestand van schaaldieren, maar ook van insecten en amfibieën, wanneer ze net uit het ei komen.

• Navelstreng
De streng die bij de zoogdieren het jong in de buik van de moeder verbindt met de moederkoek. Bij de geboorte wordt de streng verbroken.

• Paring
De gemeenschap van een mannetje en een wijfje met het doel zich voort te planten.

• Prooi
Dier waar een ander dier jacht op maakt om het op te eten. De octopus en de krab zijn bijvoorbeeld prooien voor de zeeotter.

• Reptiel
Kruipende gewervelde dieren, al dan niet met poten. De lederschildpad en de zeekrokodil zijn reptielen.

• Roofdier
Dier dat op andere dieren jaagt en ze doodt om ze op te eten. De haai en de orka zijn roofdieren.

• Rugvin
De vin op de rug van een dier, bijvoorbeeld een haai.

• Schaaldieren
Waterdier met een schild dat ademt met behulp van kieuwen. De krab is een schaaldier.

• Spanwijdte
De afstand tussen de vleugeltippen wanneer de vleugels helemaal gespreid zijn.

• Spuitgat
Neusgat boven op de kop van sommige zeezoogdieren. De dolfijn en de walvis ademen door een spuitgat.

• Staartvin
De vin aan het uiteinde van het lichaam van het dier die als staart fungeert.

• Tentakels
Beweeglijke armen van onder andere de weekdieren. De octopus heeft acht tentakels.

• Territorium
Gebied dat een dier in beslag neemt en verdedigt tegen andere dieren.

• Viseter
Dier dat vis eet. De noordse stern is een viseter.

• Vleeseter
Dier dat voornamelijk vlees eet. De zeekrokodil is een vleeseter.

• Weekdier
Ongewerveld dier waarvan het weke lichaam soms door een schelp beschermd is. De octopus is een weekdier.

• Werpen
Jongen ter wereld brengen.

• Wetenschappelijke naam
Er bestaan heel veel verschillende soorten dieren. Voor de duidelijkheid hebben wetenschappers ze ingedeeld op basis van hun uiterlijk en levenswijze, en hebben ze aan elke groep een wetenschappelijke naam gegeven die alle wetenschappers van de hele wereld begrijpen.

• Zoogdier
Dier dat zijn jongen zoogt.

• Zwemvliezen
Vliezen tussen de tenen van sommige dieren waardoor zij beter kunnen zwemmen. De zeeotter heeft zwemvliezen aan zijn achterpoten.

Fotoverantwoording